FOLIO CADET

D0727053

Pour Doria

Traduit par Camille Todd

Supplément réalisé avec la collaboration de
Dominique Boutel, Nadia Jarry et Anne Panzani
Illustrations complémentaires de
Q. Rollin et S. Jouffroy

ISBN : 2-07-052952-5
Titre original : *M et M and the news Babies / M and M and the Santa Secrets*
Publié par Pantheon Books, USA / Viking Penguin Inc.
© Pat Ross, 1983 et 1985, pour le texte
© Marylin Hafner, 1983 et 1985, pour les illustrations
© Éditions Gallimard Jeunesse, 1986, pour la traduction
et, 1990, pour le supplément
© Éditions Gallimard Jeunesse, 1999, pour la présente édition
Numéro d'édition : 92421
Loi n° 49-956 du 16 juillet 1949 sur les publications
destinées à la jeunesse
Dépôt légal : octobre 1999
Imprimé en France par Hérissey
N° d'imprimeur : 85407

Les inséparables et le secret de Noël

PAT ROSS ILLUSTRÉ PAR MARYLIN HAFNER

GALLIMARD

4

Chapitre 1

Marylin et Mimi dessinèrent deux têtes idiotes sur le givre du carreau.

Une des têtes avait un gros nez et des ailes d'ange.

L'autre avait des dents pointues et un chapeau de père Noël.

Sous les têtes elles écrivirent :

LES AMIES M ET M

Puis elles regardèrent les têtes dégouliner avant de les effacer.

Dehors il neigeait beaucoup. Mais, à l'intérieur, il faisait bon et chaud, juste assez pour se préparer avant Noël.

– Il ne nous reste plus que trois jours ! s'écria Marylin, qui faisait toujours tout à temps.

– Je t'ai dit qu'on aurait dû s'y prendre plus tôt, se plaignit Mimi, qui ne faisait jamais rien à temps.

Alors elles décidèrent de commencer par ramasser le courrier qui était sur le paillasson

devant la porte d'entrée, où on le déposait chaque matin en piles bien alignées. Il y avait sept factures, beaucoup de lettres, et une *carte postale* du dentiste en vacances.

— On ne s'occupe pas de celle-ci, dit Mimi.

Et elle laissa la carte représentant une dent qui déposait un cadeau, sur le paillasson.

Elles ouvrirent les lettres. Puis elles accrochèrent les plus belles sur le miroir de l'entrée.

Elles firent une longue guirlande de pop-corn pour l'arbre. Et elles mangèrent le reste.

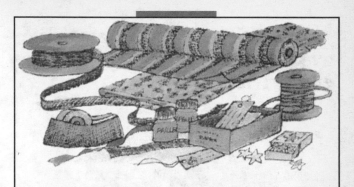

Sans perdre une minute, elles trouvèrent le papier (cadeau) rouge, les paillettes vertes et le ruban. Et chacune fabriqua pour l'autre une carte merveilleuse.

Marylin utilisa beaucoup de paillettes pour la carte de Mimi, afin qu'elle brille. Puis elle écrivit :

Mimi fit une carte fantaisiste avec le ruban, pour Marylin. Puis elle écrivit :

Elles échangèrent les cartes tout de suite, comme ça elles n'auraient pas à attendre jusqu'à Noël.

Le moment était venu de faire les paquets de tout le monde. C'était l'instant qu'elles avaient attendu toute l'année. C'était toujours la partie la plus amusante.

Chapitre 2

Chaque année, Marylin et Mimi se faisaient le cadeau le plus original possible. L'année précédente Marylin avait offert à Mimi du maquillage de monstre – le même que celui que l'on utilise dans les vrais films. Mimi avait offert à Marylin un poster en couleurs représentant une chienne et ses cinq adorables chiots. Chaque année, leurs surprises étaient plus belles.

Les cadeaux non empaquetés attendaient dans de grands sacs en plastique, dans un coin de la pièce.

Mimi regarda le sac plein à craquer de Marylin. Elle mourait d'envie de savoir ce que Marylin avait pour elle cette année.

– Allez, donne-moi un indice ! supplia-t-elle.

Tout à coup, Marylin attrapa son sac de cadeaux et alla le déposer sur une table dans un autre coin.

– Il faudra que tu attendes, dit-elle fermement à Mimi.

Puis elle regarda dans son sac. Et elle se sentit très malheureuse, parce qu'il n'y avait pas encore un seul cadeau dedans pour sa meilleure amie. Marylin avait réfléchi et réfléchi, mais elle n'avait pas eu une seule idée cette année pour Mimi. Et il ne lui restait plus que deux jours pour faire ses courses.

Mimi alla déposer tous ses cadeaux sur un bureau qui se trouvait près de la porte. Elle les étala un par un, s'apprêtant à les empaqueter.

Marylin regarda par-dessus son épaule et commença à la supplier.

– S'il te plaît, laisse-moi jeter un coup d'œil !

– Pas question ! lança Mimi. Il faudra que tu attendes – comme moi !

Puis elle fit semblant de cacher quelque chose au fond de son sac. Mais, en vérité, Mimi non plus n'avait pas été capable de trouver le cadeau idéal pour Marylin.

Marylin enveloppait du bain moussant pour sa maman. Elle sursauta quand Mimi vint se tenir derrière elle.

— J'ai juste besoin d'un petit peu de Scotch, dit Mimi, qui, en fait, avait plein de Scotch dans son sac.

Pendant que Marylin cherchait le Scotch, Mimi jeta un coup d'œil dans le sac, elle cherchait un cadeau qui dirait :

POUR Mimi
son amie
Marylin

Mais aucun des cadeaux de Marylin ne portait le nom de Mimi.

Peut-être, songea-t-elle tristement...

Peut-être que Marylin ne me fait pas de cadeau cette année

Quelques minutes plus tard, Marylin vit Mimi emballer rapidement quelque chose. Tout doucement, sur la pointe des pieds, elle s'approcha.

– J'ai perdu mes ciseaux, dit Marylin, qui, en fait, en avait une paire bien aiguisée dans son sac.

Pendant que Mimi cherchait les ciseaux, Marylin vérifia les cadeaux qu'il y avait sur le bureau.

Elle espérait que l'un d'entre eux dirait :

« Pour Marylin, son amie Mimi. »

Mais aucun cadeau ne disait cela.

On entendait le froissement du papier et le Scotch que l'on détachait du rouleau tandis que Marylin et Mimi travaillaient dur sans échanger un mot.

Chapitre 3

Les cadeaux étaient empaquetés et la neige ne tombait plus.

– Est-ce que tu veux aller voir le père Noël ? demanda Marylin.

Sa voix sembla résonner dans la pièce silencieuse.

– Je l'ai vu au coin de la rue tout près d'ici, il faisait tinter sa cloche et disait : « Ho, ho, ho ! ».

– Tu ne crois pas qu'on est un petit peu vieilles pour ce genre de chose, cette année ? demanda Mimi.

– On n'est pas obligées de s'asseoir sur ses genoux, dit Marylin. On peut lui dire seulement bonjour.

– Eh bien, j'imagine qu'on pourrait s'assurer qu'il se rappelle où on habite, dit Mimi, qui commençait à être tentée.

Quelques instants plus tard, M et M et le chien de Mimi traçaient un chemin dans la neige fraîche.

– Tu te souviens comme le père

Noël sentait la pizza l'année dernière ? demanda Mimi.

– Tu parles, quelle tête de vieille tomate ! s'écria Marylin à voix haute.

Juste à ce moment-là, quelqu'un derrière elles dit :

– Ho, ho, ho !

– C'est le père Noël ! chuchota Marylin, qui avait honte de se moquer de quelqu'un comme le père Noël.

– Joyeux Noël, les filles ! dit le père Noël.

Il finissait une tranche de pizza avec tout ce qu'il fallait dessus.

– Qu'est-ce que je peux faire pour vous ?

– Oh, dit Marylin, on ne faisait que passer...

– Et, ajouta Mimi, on voulait s'assurer que vous n'aviez pas d'erreurs sur votre liste.

Le père Noël s'essuya la bouche.

Puis il commença à fouiller dans ses poches. Il eut l'air contrarié.

– J'ai dû oublier cette liste dans mon autre costume, marmonna le père Noël. Eh bien, poursuivit-il rapidement, cela ne me ferait pas de mal si, maintenant, vous me rafraîchissiez la mémoire. Peut-être que l'on pourrait commencer par le cadeau que vous souhaitez le plus au monde.

Marylin et Mimi sourirent au père Noël qui avait à nouveau l'air jovial.

– Est-ce qu'il faudrait pour cela que l'on s'assoie sur vos genoux, demanda Mimi.

– Vous m'avez l'air un peu grandes pour ça, dit gentiment le père Noël. Chuchotez-moi ça simplement à l'oreille. Qui veut être la première ?

Mimi s'approcha du père Noël.

Son haleine ne sentait pas si fort la pizza.

– J'aimerais, dit Mimi d'une toute petite voix.

– Un peu plus près, s'il te plaît, dit le père Noël.

Mimi fit deux pas en avant.

Immédiatement, Marylin décida de faire, elle aussi, deux pas en avant. Ainsi elle serait assez près pour tout entendre. Ainsi, elle saurait si Mimi voulait le dernier disque à la mode ou des pompons pour ses patins à glace. Ainsi, elle saurait quoi offrir pour Noël à sa meilleure amie.

Elle entendit Mimi confier son secret à toute allure :

Le père Noël se gratouilla le crâne.

– A la suivante, dit-il à Marylin, qui avait tout entendu.

Ce fut donc le tour de Marylin. Elle se dressa sur la pointe des pieds et murmura son secret. Elle était si excitée que les mots avaient du mal à sortir.

– Un petit peu plus fort, dit le père Noël. Ton amie ne va pas écouter.

Mais Mimi faisait de son mieux pour écouter. Ainsi, elle saurait quoi offrir pour Noël. Ainsi, elle saurait si Marylin voulait un nouveau sac de gym ou un livre sur les chevaux.

Mimi regarda de l'autre côté et fit semblant de ne pas entendre.

Mais elle avait gravé chaque mot dans sa tête.

Le père Noël regarda Marylin et dit :

– Je ferai de mon mieux. Ho, ho, ho ! s'écria-t-il.

Et il se dirigea vers le coin de la rue.

Devant la neige, Maxi aboyait et voulait jouer. Mais Marylin et Mimi avaient autre chose en tête.

Quand elles passèrent devant Au pays des animaux, Marylin vit Mimi faire signe à une tarentule poilue dans la vitrine. Et elle pensa avoir entendu Mimi murmurer : « Salut, mignonne. »

Quand elles passèrent devant La Bonne Affaire, Mimi vit Marylin ralentir pour regarder une bague en argent dans la vitrine. Et elle pensa avoir vu Marylin frotter son petit doigt et sourire.

Chapitre 4

Le lendemain matin, Marylin et Mimi se rencontrèrent très tôt dans le hall pour organiser leur journée.

– Je dois faire des courses avec ma mère toute la matinée, mentit Marylin.

– Moi aussi, mentit Mimi en retour.

Puis Marylin se dirigea vers Au pays des animaux, seule.

Elle n'aimait aucune araignée. Mais elle montra la tarentule poilue dans la vitrine, avec sa petite cage bien à elle. Et elle l'acheta pour Mimi.

Si le père Noël en apportait aussi une à Mimi, alors celle-ci aurait une copine. Si le père Noël oubliait, alors Mimi aurait tout de même le cadeau de ses rêves.

Marylin était contente, Au pays des animaux livrait à domicile. Elle n'aurait pas à ramener une araignée géante à la maison.

Marylin descendit la rue, Noël lui semblait beau.

J'ai quelque chose de merveilleux pour Mimi, pensa-t-elle. *Maintenant, j'espère que Mimi a quelque chose de merveilleux pour moi.*

Cinq minutes après que Marylin fut partie, Mimi se dirigea vers La Bonne Affaire, seule.

Elle regarda toutes les bagues. Celle qu'elle préférait était en or. Mais elle acheta la bague en argent de la vitrine, pour Marylin. Elle avait une pierre bleu vif qui brillait.

– Je prends celle-ci, dit-elle.

Si le père Noël en apportait une autre à Marylin, alors elle en aurait une pour chaque main. Si le père Noël oubliait, Marylin aurait tout de même le cadeau qu'elle espérait. Mimi paya la bague. Puis elle la fourra tout au fond de sa poche pour ne pas la perdre.

J'ai quelque chose de merveilleux pour Marylin, pensa Mimi. *Maintenant, j'espère que Marylin a quelque chose de merveilleux pour moi.*

Mimi chanta « Mon beau sapin » tandis qu'elle sautillait dans la neige qui fondait.

Mais sur le chemin du retour, quelque chose de terrible arriva. Marylin et Mimi tombèrent nez à nez.

– Je croyais que tu faisais des courses avec ta maman, dit Marylin, blessée.

– Je croyais que tu faisais des

courses avec ta maman ! dit Mimi, fâchée.

Alors Mimi regarda droit devant elle et se dépêcha de rentrer à la maison, en pensant : *Marylin ne veut plus être ma meilleure amie. Et c'est pour cela qu'elle ne m'offre pas de cadeau cette année.*

Marylin marcha à quelques mètres derrière Mimi, en pensant :

Mimi ne veut plus être ma meilleure amie. Et c'est pour cela qu'elle ne m'offre pas de cadeau cette année.

Quand elles arrivèrent à la maison, elles rentrèrent chacune chez elle sans dire « Au revoir » ni « A tout à l'heure ».

Et elles pensèrent que ce Noël était vraiment affreux.

Chapitre 5

C'était la veille de Noël.

Marylin était dans sa chambre. Elle écrivait une lettre au père Noël pour la lui laisser dans le salon avec ses biscuits et son lait. La lettre disait :

Cher Père Noël,
vous vous souvenez de moi? Je suis venue vous voir hier avec Mimi qui était mon amie avant. S'il vous plaît mettez cette tarentule poilue sous l'arbre de Mimi.
Baisers
Marylin

P.S. J'espère que vous m'avez apporté ma bague

La tarentule faisait des bruits bizarres dans sa petite cage. Alors, Marylin décida d'y jeter un coup d'œil. Peut-être qu'une tarentule n'était pas un petit animal si désagréable que ça, après tout...

Marylin la regarda de plus près. Elle était là, toute recroquevillée, elle avait l'air seule, elle aussi.

Puis elle fit coucou à la tarentule avec son doigt. Et, elle en était sûre, l'araignée lui répondit ! Peut-être qu'elle essayait de lui dire qu'elle n'avait pas envie d'attendre jusqu'au lendemain matin.

Marylin chiffonna la lettre du père Noël.

– D'accord, dit-elle à travers les barreaux de la cage. On va se promener.

Puis elle attrapa la cage et se dirigea vers l'appartement de Mimi.

Mimi était dans sa chambre avec Maxi. Elle essayait de jouer avec Maxi, mais il était fatigué d'avoir folâtré dans la neige. Tout ce qu'il voulait, c'était dormir.

Tout au fond de sa poche, Mimi pouvait sentir la bague en argent de Marylin, avec la pierre bleue. Elle sortit la belle boîte et la posa sur la table. Puis elle ôta le couvercle et souleva le petit morceau de coton qui était dessus.

Mimi essaya la bague. Elle était jolie. Mais elle lui grattait le doigt.

Mimi remit la bague dans la boîte. Puis elle écrivit une lettre au père Noël. La lettre disait :

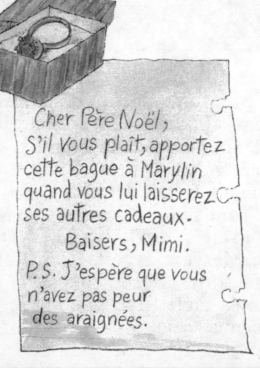

Cher Père Noël,
S'il vous plait, apportez cette bague à Marylin quand vous lui laisserez ses autres cadeaux.
        Baisers, Mimi.
P.S. J'espère que vous n'avez pas peur des araignées.

Juste à cet instant-là, Mimi entendit un bruit à la porte.

Elle fourra la boîte dans sa poche et courut à la porte.

A travers le trou de la serrure, Mimi pouvait voir Marylin assise par terre, à côté d'une petite cage.

Tout de suite, Mimi ouvrit la porte. Elle entendit un grincement alors que Marylin ouvrait la cage.

Puis elle vit quelque chose venir vers elle. C'était rapide et poilu.

– Qu'elle est mignonne ! s'écria Mimi.

Et une tarentule poilue, gentille et affectueuse, qui pouvait gagner des courses, courut sur ses longues pattes velues vers Mimi.

– Joyeux Noël, dit Marylin avec une toute petite voix.

A ce moment-là seulement, Mimi se souvint du cadeau qu'elle avait dans sa poche.

– Tiens ! cria-t-elle.

Et elle tendit la belle boîte à Marylin.

Marylin l'ouvrit tout de suite et souleva le morceau de coton.

– Ma bague ! s'écria-t-elle. Ma bague en argent avec la pierre bleu vif qui brille !

Et quand elle la passa à son doigt, la bague était fraîche, juste comme elle s'y attendait.

– Joyeux Noël, dit Mimi.

Brusquement elles réalisèrent que tout cela avait été un malentendu affreux, une erreur abominable. Elles étaient toujours les meilleures amies du monde.

Le jour de Noël, Marylin laissa Mimi porter sa bague. Cette fois-ci, elle ne la démangea pas du tout.

Mimi laissa Marylin jouer avec Mignonne (c'était son nom), qui était un animal très doux, et pas aussi farouche qu'il en avait l'air.

Le père Noël leur laissa, à toutes les deux, beaucoup de cadeaux.

Mais pas d'autre bague. Et pas d'autre tarentule. Et elles ne furent pas étonnées car le père Noël avait dû être au courant, depuis le début, des secrets de Noël, et des amies M et M.

Les jumeaux
diaboliques

Chapitre 1

Marylin déposa un château rose dans l'aquarium.

Mimi ajouta six pierres jaunes qui étincelaient dans le noir.

Nos deux amies avaient passé toute la semaine à décorer le vieil aquarium.

– Maintenant il ne nous manque plus que les poissons, dit Mimi.

– Mais les poissons coûtent de l'argent, dit Marylin.

Juste à ce moment-là, on entendit la sonnette de la porte d'entrée.

– Ça doit être pour ta maman,
dit Mimi.

– Maman est en bas, en train de
réparer son vélo, dit Marylin.

On sonnait toujours.

– On arrive ! cria Mimi.

– Qui est là ? dit Marylin.

– C'est votre voisine,
madame Green, dit la personne
dans le couloir.

Marylin jeta un coup d'œil à travers le judas pour s'en assurer.

– C'est bien madame Green.
On donna un coup dans la porte.
– Et devine avec qui, dit Mary-
lin.
– Ça ne peut être que Nicolas et
Benoît, grogna Mimi. N'ouvre
pas !

– Ce serait grossier, dit Marylin.

– Bon, mais je t'aurai prévenue, dit Mimi. Ces jumeaux, c'est l'enfer !

Marylin entrouvrit la porte.

Les jumeaux cognèrent leurs biberons contre la porte et sourirent.

Nicolas avait toujours deux biberons de lait.

Benoît avait toujours deux biberons de jus de fruits. On pouvait les distinguer comme ça.

– Maman est dans le hangar à vélo, dit Marylin qui essayait d'être polie. Voulez-vous laisser un message ?

— En fait j'aurais bien voulu lui laisser les jumeaux.

Marylin et Mimi eurent l'air très troublé.

Puis madame Green expliqua :

— Je dois aller faire une course, j'en ai pour cinq minutes.

Nicolas et Benoît ouvrirent la porte en grand.

– Pourriez-vous les garder ? demanda madame Green. Je ne serai pas longue. Et ta maman est juste en dessous.

– Nous sommes en train de travailler sur un projet important, dit Mimi qui songeait à l'aquarium.

– Je vous payerai, proposa madame Green.

Marylin chuchota à Mimi :

– On pourrait s'acheter des *poissons* !

Mimi s'apprêtait à refuser, mais Marylin dit rapidement :

– D'accord, madame Green, on va s'en occuper !

– Vous êtes de vraies baby-sitters maintenant, toutes les deux, dit madame Green en souriant.

Nicolas et Benoît abandonnèrent leurs biberons près de la porte et rampèrent jusqu'au salon.

– Qu'est-ce qu'on fait ? demanda Marylin.

– Oh, rien de spécial, dit madame Green. Assurez-vous simplement qu'ils n'arrachent pas les poils du tapis et qu'ils ne les

mangent pas. Des bêtises dans ce goût-là. S'ils jouent là où ils ne devraient pas, dites seulement : « Non, non ! »

– C'est ce qu'on dit à mon chien, dit Mimi.

– Allons, je suis certaine que les garçons seront sages comme des images, dit madame Green. Ils ont leurs biberons et deux merveilleuses baby-sitters... ajouta-t-elle.

Puis elle fit au revoir de la main.

Chapitre 2

Benoît se mit à creuser la terre autour d'une grosse plante. M et M se souvinrent de ce qu'il fallait faire.

– Non, non, firent-elles en chœur.

– BOC ! BOC ! cria Benoît, joyeusement.

– Je te parie qu'il croit que c'est un bac à sable, grogna Mimi.

– Non, non, Benoît. Pas bac à sable.

Benoît secoua la tête et dit :

– Non, non, non, non !

Puis il lécha la terre qu'il avait sur les doigts. Nicolas, lui, s'amusait avec la télé. Il mit le son très fort.

Marylin courut vers lui et éteignit la télé.

– BOUM, BOUM, dit Nicolas.

– Pas boum boum, dit Marylin.

– Non, non, non, non ! dit Nicolas.

Et il se mit à pleurer.

Benoît se mit lui aussi à pleurer.

– Et maintenant, qu'est-ce qu'on fait ? cria Mimi.

– Il faut jouer avec eux, dit Marylin. C'est ce que l'on fait avec les bébés.

– Berk, dit Mimi. Je suis venue ici pour jouer avec toi et décorer l'aquarium. Je ne veux pas me lancer dans des jeux de bébés débiles comme « coucou-le-voilà ». Trouve autre chose, ou bien je rentre à la maison.

– D'accord, cria Marylin, j'ai une idée ! On peut faire un concours de bébés !

Mimi fit une grimace.

– Si tu veux dire un concours de *beauté* pour bébés, ils perdront tous les deux, dit-elle.

– Non, dit Marylin, une *course* de bébés. Le premier bébé qui arrive à l'autre bout du salon a gagné. Un bébé contre l'autre.

– Ils ne vont jamais le faire, dit Mimi.

– Ça vaut la peine d'essayer, dit Marylin.

– Bon, d'accord, dit Mimi. Mais quoi qu'on fasse, il faut les tenir à l'écart de l'aquarium.

Alors Marylin prit Nicolas et Mimi prit Benoît.

– Que le meilleur bébé gagne ! dit Marylin.

Marylin et Mimi attrapèrent rapidement les quatre biberons. Puis elles coururent à l'autre bout de la pièce. Elles brandirent les biberons et s'écrièrent :

– Partez !

Nicolas et Benoît regardèrent leurs biberons. Puis ils démar-

rèrent en rampant et roulant, en glissant et crapahutant.

Marylin agitait les biberons de Nicolas.

– Vas-y, bébé, vas-y ! lança-t-elle.

– Lolo ! cria Nicolas.
Mimi agitait les biberons de Benoît.
– Jus-jus ! cria Benoît.

Nicolas et Benoît atteignirent leurs biberons exactement en même temps.

Match nul.

Mimi regarda les bébés en boudant.

– J'ai trouvé un meilleur concours, dit-elle. Il s'agit d'un concours où *nous* pouvons battre les bébés !

Chapitre 3

Mimi expliqua à Marylin à quel genre de concours elle songeait – un concours de biberons : à qui boit le plus vite.

– Nous contre les bébés, dit Mimi.

– Que le meilleur téteur gagne ! dit Marylin.

M et M alignèrent les quatre biberons.

– Remplissons-les à ras bord, dit Mimi.

– Deux de lait, deux ! Et deux de jus de fruits, deux !

Les jumeaux s'emparèrent de leurs biberons et commencèrent tout de suite le concours.

– Vite ! cria Marylin.

– Un, deux, trois, partez ! lança Mimi.

Puis Marylin et Mimi se mirent elles aussi à téter comme des bébés. Mais au bout d'un moment Mimi s'écria :

– Berk ! La tétine est toute mouillée et caoutchouteuse.

– Ça a seulement *l'air* facile, dit

Marylin. Regarde Nicolas et Benoît. Ils tètent comme des machines !

– On manque simplement d'entraînement, dit Mimi. Continue !

Alors, M et M firent de leur mieux, mais elles ne purent terminer.

– Je me suis mordu la langue, se plaignit Marylin.

– J'abandonne ! s'écria Mimi. Voyons voir comment se sont débrouillés les bébés.

Sur le sol, près d'elles, gisaient deux biberons vides. Mais pas de bébés.

– Ça, pas de doute, ils ont gagné, dit Mimi.

– Mais où sont-ils ? grogna
Marylin.

– Je te parie qu'ils ont mangé les plantes,

mâchouillé mes bandes dessinées,

saccagé ma chambre et...

bousillé l'aquarium ! hurla Mimi.

Chapitre 4

Nicolas et Benoît étaient près de l'aquarium.

– Je crois que c'est trop tard ! cria Mimi.

Et elle se couvrit les yeux.

– Qu'ont-ils abîmé ? cria Marylin, qui cherchait du regard le terrible désordre qu'elle s'attendait à trouver.

Mais elles virent simplement Nicolas et Benoît. Les bébés montraient du doigt le château rose et les six pierres jaunes dans l'aquarium. Et ils applaudissaient.

    – Tu peux regarder maintenant, dit Marylin à Mimi. Je crois que cela leur plaît.

    Mimi n'en croyait pas ses yeux.

    – Après tout, fit-elle, ces bébés, ça n'est pas tellement l'enfer.

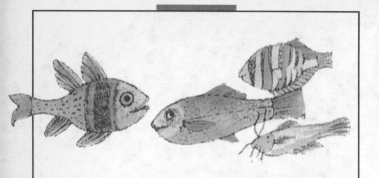

M et M éteignirent la lumière et montrèrent aux jumeaux que les six pierres jaunes étincelaient dans le noir.

– Hoooo ! hoooo ! firent les jumeaux.

Alors M et M annoncèrent à Nicolas et à Benoît qu'elles allaient s'acheter des poissons.

– Peffon, peffon, peffon, dirent les jumeaux.

Et déjà, madame Green était de retour.

– Man ! Man ! crièrent Nicolas et Benoît.

– Eh bien, regardez-moi ces biberons ! dit madame Green.

– Les jumeaux ont eu très soif, dit Marylin.

Alors madame Green remercia Mimi et Marylin et leur donna à chacune dix francs.

En sortant Nicolas et Benoît cognèrent leurs biberons contre la porte.

– Maintenant on va pouvoir s'acheter des poissons ! dit Mimi.

– Chacune un ! dit Marylin.

Puis elles se firent des grimaces qui imitaient l'expression idiote des poissons.

Ces grimaces idiotes de poissons ressemblaient tout à fait à deux bébés en train de téter un biberon. Et, tout de suite, elles surent comment elles allaient appeler leurs poissons.

– Nicolas, dit Marylin.
– Benoît, dit Mimi.

Et personne, à part les deux M, ne saurait jamais pourquoi.

FIN

Pat Ross a grandi aux Etats-Unis, dans
le Maryland, avant de s'installer à New York,
où elle vit toujours avec son mari et sa fille
Erica. C'est Erica qui a inspiré sa maman.
Lorsqu'elle avait six ou sept ans, elle avait
une petite amie inséparable qui habitait le même
immeuble. Pat Ross est l'auteur de nombreux
ouvrages, elle est aussi éditeur de livres
pour la jeunesse.

Marylin Hafner est née à Brooklyn, dans l'Etat
de New York, aux Etats-Unis. Elle vit
aujourd'hui à Cambridge, dans le Massachusetts.
Elle a étudié la peinture et les Beaux-Arts.
Elle est sculpteur et fait de la gravure. Elle adore
cuisiner, voyager et collectionner les antiquités.
Elle a trois filles qui sont déjà grandes.
Marylin Hafner a illustré plus de cinquante livres
pour enfants.

Les inséparables et le secret de Noël

Supplément illustré

Test

Comment aimes-tu les cadeaux ?
Pour le savoir, choisis pour chaque question
la solution que tu préfères. *(Réponses page 102.)*

1 Quand on veut t'offrir un cadeau, tu préfères :
▲ que l'on te demande exactement ce que tu veux
■ faire une liste pour donner le choix
● avoir une surprise

2 Quand tu ouvres tes paquets :
● tu essayes d'imaginer ce que contient chacun
■ tu commences par le plus petit
▲ tu choisis celui qui se rapproche le plus de ce que tu attends

3 Le meilleur moment, c'est :
■ de recevoir les cadeaux
▲ de les ouvrir
● de les attendre

4 Tu préfères les cadeaux :
▲ que l'on a achetés
● très personnels
■ que l'on a fabriqués

5 Un cadeau est plus précieux :
■ lorsqu'il marque une grande occasion
● lorsqu'il vient sans être attendu
▲ lorsqu'il vient de celui que l'on aime le plus au monde

6 Un petit cadeau dans un gros emballage :
- ■ c'est drôle
- ▲ c'est idiot
- ● c'est original

7 Tu trouves plus agréable :
- ■ d'avoir plein de petits paquets à ouvrir
- ▲ de recevoir un énorme paquet
- ● d'avoir des paquets joliment enveloppés

8 Lorsque tu dois choisir un cadeau pour tes amis, c'est :
- ▲ affreux, car tu n'arrives jamais à choisir
- ● merveilleux, car tu as mille choix possibles
- ■ agréable, car tu sais ce qui leur fera plaisir

9 Tu aimes le moment où l'on ouvre des cadeaux car :
- ■ tout le monde pousse des cris de joie
- ▲ tu as enfin ce que tu souhaitais
- ● ton cœur bat toujours très fort

10 Quand tu écris au Père Noël, tu lui dis :
- ● coucou, Père Noël ! Comment allez-vous ?
- ■ petit Père Noël, pense à moi, ne m'oublie pas
- ▲ cher Père Noël, j'aimerais beaucoup un…

Informations

■ Il était une fois Noël ■

Les petits Américains l'appellent Santa Claus,
les Japonais, Santa Fan, les Britanniques, Father
Christmas, les Soviétiques, Died Morez,
les Turcs, Noël Baba… De qui s'agit-il ? Tu
l'as sûrement reconnu, c'est le Père Noël !
D'où vient-il, ce vieillard jovial à la barbe
blanche et à l'habit rouge qui ramone
nos cheminées et dépose des cadeaux
dans les souliers des enfants ? On pense
qu'il est peut-être né en Europe et que c'était
un descendant de saint Nicolas.

■ Le repas de fête

Autrefois, le repas de Noël se faisait au retour
de la messe de minuit. La dinde faisait - et fait
encore partie - de presque tous les repas de Noël
qui se terminent avec la délicieuse bûche que tu
dégustes au dessert. La forme de ce gâteau
rappelle le tronc d'arbre que l'on plaçait la veille
de Noël dans l'âtre des cheminées.
Ce bois dur devait être coupé avant le lever

du soleil et provenir d'un arbre fruitier.
On l'allumait avant la messe de minuit et
il fallait qu'il brûle sans interruption pendant
au moins trois jours. La taille de la bûche et
la façon dont elle brûlait permettaient de prévoir
si les récoltes seraient bonnes, si les mariages
seraient nombreux… Les cendres avaient le
pouvoir de guérir certaines maladies ou de faire
fuir les animaux nuisibles.

■ Le sapin et les cadeaux

A l'origine, le sapin était garni de pommes
rouges et on l'appelait l'arbre de vie. Sa verdure
conservée au cœur de l'hiver lui donne le titre de
roi des forêts. Des friandises et des décorations
sont suspendues à ses branches. Les jouets
ne furent considérés comme cadeaux que bien
plus tard. On préférait offrir des « gâteries »
qui amélioraient le repas ordinaire : fruits secs,
pain d'épice, puis fruits exotiques comme
les oranges ou les mandarines. Lorsque
les polichinelles et autres chevaux de bois
entrèrent dans les foyers,
il devint difficile
de les suspendre et
on décida de
les déposer au
pied du sapin.

Jeux

■ Dessine-moi un bonhomme de neige

Les journées d'hiver sont longues et les deux M inventent de nombreux jeux. Veux-tu jouer avec elles au bonhomme de neige ?
Il faut deux joueurs, deux feuilles de papier, deux crayons et un dé.
Le but du jeu est d'arriver à dessiner le premier le bonhomme de neige en jetant les dés chacun à son tour.

Pour y parvenir, il faut faire dans l'ordre :

un pour le corps

un pour la tête

un pour le chapeau

un pour l'écharpe

un pour les boutons

un pour les yeux, la bouche et le nez

Réponse juste : tu peux dessiner.

Réponse fausse : tu passes ton tour.

Le joueur qui n'obtient pas le chiffre qu'il désire peut répondre à une question de repêchage.

Questions de repêchage

1. Quel jour commence cette histoire ?
2. Qui a envoyé une carte postale ? **3.** Qui a fabriqué une carte avec le ruban ? **4.** Pourquoi Mimi vient-elle demander du Scotch à Marylin ?
5. Que mange le Père Noël ? **6.** Marylin part-elle faire des courses avec sa mère ? **7.** Où Mimi achète-t-elle la bague de Marylin ? **8.** Pourquoi Mimi et Marylin sont-elles tristes et fâchées ?
9. Comment Marylin appelle-t-elle sa tarentule ?
10. Pourquoi Mimi et Marylin ont-elles besoin d'argent ? **11.** Comment distingue-t-on les jumeaux ? **12.** Par quoi les bébés sont-ils fascinés ? **13.** Comment Mimi et Marylin arrivent-elles à faire faire la course aux jumeaux ? **14.** Quel est le deuxième concours ? **15.** Comment Mimi et Marylin appellent-elles leurs poissons ?

(Réponses page 103.)

■ Mimi et Marylin, baby-sitters ■

Si tu as un bébé dans ta famille, tu n'auras aucun mal à remplir cette grille. Si tu n'en as pas, peut-être en as-tu déjà gardé un comme Mimi et Marylin. Sinon, souviens-toi de toi… il y a une dizaine d'années. *(Réponses page 103.)*

1. Les bébés en portent dès la naissance.

2. Le premier lit des bébés.

3. Les bébés doivent le faire après avoir bu leur biberon.

4. C'est le nom que très souvent les bébés donnent à leur ours en peluche.

5. C'est la bouteille des bébés.

6. Mimi et Marylin y jouent moins bien que les jumeaux.

7. Grands et petits aiment les toucher car elles sont douces.

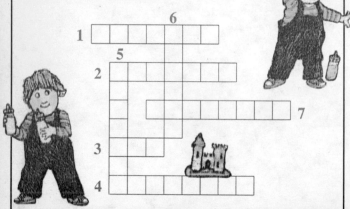

■ Les jumeaux et l'aquarium ▬▬▬

Mimi et Marylin ont décidé d'acheter deux
poissons jumeaux qu'elles appelleront Benoît
et Nicolas en souvenir des bébés
qu'elles ont gardés. Mais
ceux-ci ne sont pas faciles
à reconnaître. Peux-tu les aider
à les retrouver ? *(Réponse page 103.)*

Réponses

pages 94 et 95

Compte les ▲, les ●, et les ■ que tu as obtenus.
- Si tu as plus de ●, pour toi, le mot cadeau
est synonyme de surprise et de joie. Tu aimes
en rêver, imaginer ce que renferme le paquet
enrubanné. Tu aimes aussi inventer pour
tes amis les cadeaux les plus fous, même
s'ils sont souvent un peu surpris de tes choix.
N'oublie pas que c'est à eux qu'il faut faire
plaisir.
- Si tu as plus de ▲, tu as horreur d'être déçu et
tu préfères choisir ton cadeau plutôt que d'avoir
une mauvaise surprise. Ton inquiétude ne vient-
elle pas gâcher ton plaisir ?
- Si tu as plus de ■, tu aimes bien, comme tout
le monde, recevoir des cadeaux ; tu sais que
c'est une preuve agréable d'affection et d'amour.
A ton tour, tu choisis des cadeaux qui font
plaisir. Tu as compris que les cadeaux
accompagnaient des moments de bonheur,
et c'est cela qui importe.

pages 98 et 99

Dessine-moi un bonhomme de neige :
1. Le 22 décembre - 2. Le dentiste - 3. Mimi -
4. Pour pouvoir voir ses cadeaux - 5. Des pizzas
6. Non - 7. A la Bonne Affaire - 8. Parce qu'elles
croient qu'elles n'ont pas de cadeau l'une pour
l'autre - 9. Mignonne - 10. Pour acheter
des poissons pour le nouvel aquarium -
11. Au contenu de leur biberon -
12. Par l'aquarium - 13. En se servant de leur
biberon - 14. Un concours de biberon -
15. Benoît et Nicolas.

page 100

Mimi et Marylin, baby-sitters : *1. Couches -*
2. Berceau - 3. Rot - 4. Nounours - 5. Biberon -
6. Hochet - 7. Peluches.

page 101

Les jumeaux et l'aquarium : *Benoît et Nicolas*
sont les poissons qui ont la nageoire caudale et
la nageoire dorsale noires.

COLLECTION FOLIO CADET

Ted Allan
Histoire d'un souricureuil

Allan Ahlberg/Janet Ahlberg
Qui a volé les tartes ?

Andersen/Georges Lemoine
Le rossignol de l'empereur de Chine
La petite fille aux allumettes

Anonyme/Charlotte Voake
Les trois petits cochons et autres contes

Bernard Ashley/Christophe Blain
A la poursuite de Kim

Marcel Aymé/ Roland et Claudine Sabatier
L'âne et le cheval
Les boîtes de peinture
Les bœufs
Le canard et la panthère
Le cerf et le chien
Le chien
Les cygnes
L'éléphant
Le loup
Le mauvais jars
Le mouton
Le paon
La patte du chat
Le problème
Les vaches

Marie Saint-Dizier/Amato Soro
Papa est un ogre

Alain Serres/Véronique Deiss
L'ogron

Alain Serres/Claude Lapointe
Du commerce de la souris

Alain Serres/Anne Tonnac
Histoires en chaussettes
Le petit humain

Emma Tenant/Charlotte Voake
Le petit fantôme

Kay Thompson/Hlira Knight
Eloïse
Eloïse à Paris

Jill Tomlinson/Céline Bour-Cholet
La chouette qui avait peur du noir

Michel Tournier/Danièle Bour
Pierrot ou les secrets de la nuit

Michel Tournier/Georges Lemoine
Barbedor

John Yeoman/Quentin Blake
Les poules
L'alligator et le chacal
et autres contes d'animaux

Marguerite Yourcenar/ Georges Lemoine
Comment Wang-Fô fut sauvé

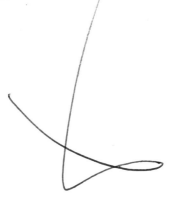